1	Vor dem Fenster hängt		ir...
2	Blauwale sind die größten		mit der Raumfähre ins All.
3	Die Astronauten fliegen		sind essbare Kräuter.
4	Das kleine Eichhörnchen		viele Enten und Schwäne.
5	Auf dem See schwimmen		Tiere der Welt.
6	Oma liest beim Frühstück		klettert flink auf einen Baum.
7	Papa rollt den Kuchenteig		auf dem Backblech aus.
8	Petersilie und Schnittlauch	1	eine weiße Gardine.

4 Welches Wort ist falsch?

Türen lassen sich öffnen zu.

Das anzünden Feuer brennt.

Das fliegen Flugzeug landet.

Die Lampe leuchtet hell aus.

Die Kirschen sind Baum reif.

Der Wecker das klingelt laut.

Milchzähne fallen aus locker.

Pfeffer ist sehr Körner scharf.

Wir rot warten an der Ampel.

Motor Das Auto fährt schnell.

Der See ist sehr Taucher tief.

Post Ich schreibe einen Brief.

Hunde Katzen können bellen.

Der läuft Fernseher ist kaputt.

Das Baby Seife wird gebadet.

Das Buch ist lesen spannend.

Rätsel

1	Sie können sehr groß werden. Sie leben im Meer.
2	Sie fressen Gras. Aus ihrem Fell wird Wolle hergestellt.
3	Sie haben lange Fühler. Sie flattern von Blume zu Blume.
4	Sie kriechen herum. Sie tragen ihr Haus auf dem Rücken.
5	Sie können sehr bunt sein. Manche können sprechen.
6	Sie leben in Afrika. Sie haben einen sehr langen Hals.
7	Sie sind sehr beliebte Haustiere. Sie können bellen.

2 Kreuze an

Die Sonne hat einen Stecker und verbraucht viel Strom.	☐ ja ☐ nein
Schulkinder sind älter als Kinder aus dem Kindergarten.	☐ ja ☐ nein
Mit einem Taschentuch kann man sich die Nase putzen.	☐ ja ☐ nein
Mit einem Hund muss man regelmäßig spazieren gehen.	☐ ja ☐ nein
Eine gute Sonnenbrille schützt die Augen vor der Sonne.	☐ ja ☐ nein
Man kann eine Pizza mit Salami im Kühlschrank backen.	☐ ja ☐ nein
Viele Menschen fliegen mit dem Flugzeug in den Urlaub.	☐ ja ☐ nein
Ein Bergsteiger ist ein Mensch, der auf einen Berg steigt.	☐ ja ☐ nein

1	Man muss mit den Beinen strampeln. Sie haben zwei Räder.
2	Sie fahren auf Schienen. Sie halten an Bahnhöfen.
3	Sie haben einen Motor und vier Räder. Sie fahren auf Straßen.
4	Sie sind sehr schnell. Mit ihnen fliegen Astronauten in den Weltraum.
5	Sie fahren auf Seen, Flüssen und auf dem Meer.
6	Sie haben Tragflächen. Sie starten und landen auf Flughäfen.
7	Sie fahren Hügel hinunter und nicht hinauf. Sie fahren auf Schnee.

- ☐ Male links unten ein kleines Männchen mit einem Regenschirm.
- ☐ Zeichne einen grünen Kreis in die Mitte des Blattes.
- ☐ Zeichne ein Gesicht mit einem Bart und einer Brille in den Kreis.
- ☐ Male rechts unten einen roten Tisch.
- ☐ Auf dem roten Tisch stehen drei brennende Kerzen.
- ☐ Male zwei kleine Mäuse unter den roten Tisch.
- ☐ Zeichne drei blaue Dreiecke.
- ☐ Verbinde die blauen Dreiecke mit einem Bleistift.
- ☐ Schreibe die Zahlen von 1 bis 10. Verwende dafür mehrere Farben.
- ☐ Male eine gelbe Sonne in eine freie Ecke.
- ☐ Male zwei graue Wolken. Aus den Wolken regnet es.
- ☐ Schreibe deinen Vornamen in deiner Lieblingsfarbe.
- ☐ Male zwanzig rote Punkte.
- ☐ Male den Bilderrahmen farbig.

Schneller Pfeil war ein stolzer | Salat | | Stammesführer | und Jäger.

Mit seiner Frau Schöner Stern war er glücklich | verheiratet | | verhext |.

Zusammen hatten sie eine liebreizende | Torte | | Tochter |.

Der | Nudelsalat | | Name | ihrer Tochter war Starke Bärin.

Schneller Pfeil und seine | Familie | | Füße | lebten im schönsten Zelt des Dorfes.

Eines Tages gab es ein | krummes | | kräftiges | Gewitter.

Es | redete | | regnete | so stark, dass das Wasser in die Zelte lief.

Alle Dorfbewohner wurden | Nasen | | nass |.

Am nächsten | Tag | Taler | trafen sie sich auf dem Dorfplatz.

Sie überlegten, wie sie in Zukunft | Tomaten | trocken | bleiben konnten.

Da hatte Schlauer Fuchs eine | Idee | Insel |.

„So machen wir es!", | regnete | rief | Schneller Pfeil begeistert.

Seit diesem Tag bauen die Dorfbewohner nur noch Häuser aus | Strom | Stein |.

Sie | stellen | streichen | sich bunte Zwerge in den Garten.

Über ihre Sofas hängen sie | Bilder | Bananen | mit Bergen und Hirschen.

Oder ist das etwa alles nur | Unterhose | Unsinn |?

Kreuze an

Mit den Füßen kann man besser riechen als mit der Nase.	☐ ja ☐ nein
Im Kindergarten lernen Kinder, wie ein Auto repariert wird.	☐ ja ☐ nein
Alle Lehrerinnen haben grüne Haare und hellblaue Ohren.	☐ ja ☐ nein
In einem Museum darf man Bilder von der Wand nehmen.	☐ ja ☐ nein
Alte und kaputte Autos werden zum Schrottplatz gebracht.	☐ ja ☐ nein
Hüte, Mützen und Kappen werden auf dem Kopf getragen.	☐ ja ☐ nein
In einer Metzgerei kann man Fleisch und Wurst einkaufen.	☐ ja ☐ nein
Im Supermarkt gibt es Schnee, Regen und Tau zu kaufen.	☐ ja ☐ nein

1	Die Mädchen spielen Fußball		1	mit einem neuen Lederball.
2	Bei einem Gewitter kann es			neues Papier hergestellt.
3	Oma isst drei große Stücke			und der Mars sind Planeten.
4	Die Erde, der Jupiter			durch unseren Körper.
5	In einer Bäckerei kann man			heftig blitzen und donnern.
6	Unser Herz pumpt das Blut			zu einem Zopf flechten.
7	Aus altem Papier wird heute			Kirschkuchen mit Sahne.
8	Lange Haare kann man			Brot und Brötchen kaufen.

Welches Wort ist falsch?

Die Erde ist haben ein Planet.

Im Topf kochen Nudeln essen.

Fische leben im Wasser nass.

Igel sind sehr haben stachelig.

Haben Hochhäuser sind hoch.

Das Boot hat ein rudern Segel.

Blau ist Malkasten eine Farbe.

Das Baby trinkt Milch schreien.

Wir waren heute im Zoo Affen.

Witze sollen lustig sein lachen.

„Was Banane kostet das Eis?"

Schimmel in sind weiße Pferde.

„Ist die Suppe zu heiß dieser?"

Der laufen Löwe jagt ein Zebra.

Baum Äpfel haben einen Stiel.

Opa dreht die Heizung sind auf.

1	Sie müssen dicht sein, sonst regnet es in das Haus hinein.
2	Sie haben oft ein Geländer. Man geht auf Stufen hinauf oder hinunter.
3	Sie lassen Licht in die Räume. Ihre Scheiben sind aus Glas.
4	Man braucht sie, wenn es kalt ist. Sie erwärmen die Luft.
5	Sie lassen sich öffnen und schließen. Man geht durch sie hindurch.
6	Sie bestehen aus vielen Steinen. Sie werden gemauert.
7	Sie stehen vor vielen Häusern. Häufig sind sie aus Holz.

Lies und male

- ☐ Auf dem Bild siehst du die kleine Zauberfee Sterna.
- ☐ Male Sterna aus. Verwende dafür drei verschiedene Farben.
- ☐ Schreibe ihren Namen in den Rahmen über ihrem Kopf.
- ☐ Sterna ist gerade von der Zauberschule nach Hause gekommen.
- ☐ Die Lehrerin hat den Kindern heute viele neue Zaubersprüche beigebracht.
- ☐ Leider hat Sterna dabei nicht richtig aufgepasst.
- ☐ Nun hat sie viele komische Dinge gezaubert.
- ☐ Male eine Tomate. Die Tomate hat Flügel und trägt eine Sonnenbrille.
- ☐ Male einen grünen Eimer. In dem Eimer steht eine Ampel.
- ☐ Male ein rotes Auto mit einem rauchenden Schornstein.
- ☐ Male einen gelben Bus mit grünen Punkten und viereckigen Rädern.
- ☐ Male eine Sonne mit einem Bart und blauen Strahlen.
- ☐ Male viele große und kleine Sterne auf das Bild.
- ☐ Sterna findet ihr Zauberbild ganz zauberhaft.

Heute findet das | Endspiel | | Entenspiel | des großen Fußballturniers statt.

Die Brüllenden Hühnchen spielen | gähnen | | gegen | die Kreischenden Hähne.

Bei den Brüllenden Hühnchen | spülen | | spielen | nur Mädchen.

Bei den Kreischenden Hähnen spielen nur | Jo-Jos | | Jungen | .

Bereits nach drei | Minuten | | Metern | gehen die Hähne mit 1 : 0 in Führung.

Schon im Gegenzug können die | Hündchen | | Hühnchen | zum 1 : 1 ausgleichen.

Bis zur Pause fallen keine weiteren | Tore | | Türen | .

Nach der | Pause | | Polizei | geht das spannende Spiel weiter.

Kurz vor [Schluss] [China] kommt Heidi von den Hühnchen an den Ball.

Mit dem Ball am [Finger] [Fuß] dribbelt sie über den ganzen Platz.

Schließlich steht nur noch der [Tierarzt] [Torwart] der Hähne vor ihr.

Mit letzter Kraft [schraubt] [schießt] Heidi den Ball auf das Tor.

Der Ball fliegt gegen die Unterkante der [Latte] [Lampe].

Von dort [springt] [spricht] er dem Torwart der Hähne direkt gegen den Popo.

Vom [Papa] [Popo] des Torwarts prallt der Ball ins Tor der Hähne.

2:1! Alle Hühnchen [jagen] [jubeln]. Sie haben das Fußballturnier gewonnen.

Was gehört zusammen?

1	Der Lehrer schreibt ein Wort		ein Nest für ihren Nachwuchs.
2	Die Bälle beim Tischtennis		mit einer leckeren Soße.
3	Mama schüttet etwas Milch		und ihre neuen Ohrringe.
4	Der Briefträger wirft den Brief		sieben Elfmeter gehalten.
5	Oma trägt eine goldene Kette	1	mit roter Kreide an die Tafel.
6	Im Frühling bauen viele Vögel		aus der Flasche in ein Glas.
7	Zum Essen gibt es Spaghetti		sind kleiner als Fußbälle.
8	Der Torwart hat in einem Spiel		in den Briefkasten an der Tür.

„Wann ist er das Essen fertig?"

Oma spielt gerne sich Handball.

Mama schreibt Stift einen Brief.

Hunde haben vier bellen Pfoten.

Die rote Tomate ist saftig Salat.

In der Schule aus lernen Kinder.

Wale nicht können schwimmen.

Haustiere Stall brauchen Pflege.

Der sehen Fernseher ist zu laut.

Im schneien Winter fällt Schnee.

Die Autos Straße fahren schnell.

Der Bus losfahren ist schon voll.

Im Kühlschrank ist es Käse kalt.

Die Sahara ist eine Wüste Sand.

Es Frühstück klingelt zur Pause.

Die Ferien haben das begonnen.

Rudi und Tina gehen gemeinsam zur Schule.

Auf dem Weg treffen sie Olga.

Olga ist Tinas Freundin.

Olga war gestern mit ihrer Oma im Kino.

Der Film war sehr lustig.

Ein Dino und eine Ente sind zum Mond geflogen.

Die Kinder reden lange über den Film.

Sie kommen zu spät zur Schule.

Doch sie haben Glück.

Die Lehrerin ist auch noch nicht da.

Male den Dino.

Tina und Olga sind Freundinnen.	☐ ja ☐ nein	
Tina und Rudi gehen zur Schule.	☐ ja ☐ nein	
Rudi war gestern im Kino.	☐ ja ☐ nein	
Olga hat einen lustigen Film gesehen.	☐ ja ☐ nein	
Olga war mit ihrer Oma am Kiosk.	☐ ja ☐ nein	
Olgas Freundin ist eine Ente.	☐ ja ☐ nein	
Eine Ente ist zum Mond geflogen.	☐ ja ☐ nein	
Der Dino ist allein zum Mars geflogen.	☐ ja ☐ nein	
Die Kinder kommen zu spät zur Schule.	☐ ja ☐ nein	
Die Lehrerin schimpft mit den Kindern.	☐ ja ☐ nein	

Male die Ente.

- ☐ Auf dem Bild siehst du ein kleines U-Boot.
- ☐ Denke dir einen Namen für das U-Boot aus.
- ☐ Schreibe den Namen mit einem blauen Stift auf das U-Boot.
- ☐ Male viele kleine Punkte und Sterne auf das U-Boot.
- ☐ Das kleine U-Boot taucht tief im Komischen Ozean.
- ☐ Im Komischen Ozean gibt es viele komische Dinge und Lebewesen.
- ☐ Unter dem U-Boot steht eine große Torte auf dem Meeresboden.
- ☐ Neben der Torte steht ein Teller mit Spinat und Kartoffeln.
- ☐ Vor dem kleinen U-Boot schwimmt ein Fischstäbchen mit roten Flossen.
- ☐ Über dem U-Boot hängt ein alter Stiefel an einem Angelhaken.
- ☐ Neben dem Stiefel spielt ein blauer Fisch Jo-Jo.
- ☐ Hinter dem kleinen U-Boot schwimmen zwei Kochtöpfe in einer Luftblase.
- ☐ Das Wasser des Komischen Ozeans ist gelb.
- ☐ Glaubst du, dass es den Komischen Ozean gibt?   ☐ ja   ☐ nein

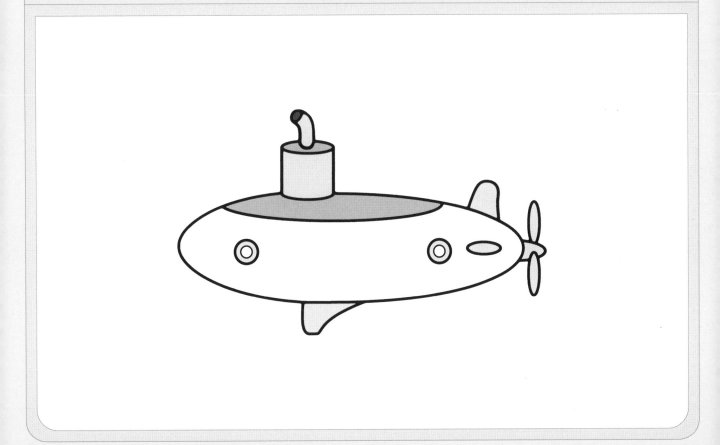

Vor langer Zeit lebten drei | Zwiebeln | | Zwerge | in einem tiefen Wald.

Sie bewohnten eine winzige | Hütte | | Hummel | unter einer riesigen Tanne.

Morgens standen sie bereits mit den ersten Sonnenstrahlen | auf | | ab | .

Zum | Frühling | | Frühstück | trank jeder von ihnen einen Tropfen Tau.

Dann begannen sie mit der täglichen | Ameise | | Arbeit | .

Der Nadelzwerg hackte Tannennadeln für den winzigen | Ordner | | Ofen | .

Der Fruchtzwerg suchte Beeren, | Pilze | | Polizisten | und andere Waldfrüchte.

Der Hauszwerg schließlich hielt | Hafen | | Haus | und Garten in Ordnung.

Erst am | Abend | | Apfel | kamen die Zwerge wieder zusammen.

Der Nadelzwerg schürte das | Fenster | | Feuer | im Zwergenofen,

der Fruchtzwerg bereitete allen eine | köstliche | | kichernde | Waldfruchtspeise

und der Hauszwerg | deckte | | dankte | den runden Pilztisch.

Nach dem | Essen | | Esel | legten sie sich auf das Hummelfell vor dem Ofen

und lasen sich gegenseitig spannende | Geschichten | | Gespenster | vor.

Am liebsten mochten sie Geschichten von | Riesen | | riechen |.

Die drei | Zwerge | | Zwillinge | waren sehr glücklich.

1	Sie sind kleiner als Orangen. Ihre Schale ist gelb und sie sind sehr sauer.
2	Sie lassen sich leicht schälen. Sie sind länglich und krumm.
3	Frisch sind sie saftig. Getrocknet werden sie zu Rosinen.
4	Häufig wird ihr Saft getrunken. Sie haben eine orange Schale.
5	Sie haben einen Stein. Ihre Schale ist glatt und blau.
6	Sie werden oft zu Marmelade verarbeitet. Sie sind rot und süß.
7	Ihre Blätter sind hart und spitz. Ihre Schale ist sehr rau und schuppig.

„Möchtest das du ein Brötchen?"

Schimpansen sind Affen klettern.

Der Wasserhahn tropft waschen.

Gestern Regen hat es geschneit.

Ein Jahr Wochen hat *12* Monate.

An der Hand die sind fünf Finger.

Heute Sommer ist es sehr warm.

Das Messer schneiden ist scharf.

Die Tür ist geschlossen Eingang.

Im Wand Museum hängen Bilder.

Der Arzt die gibt mir eine Spritze.

Susi schießt den rollt Ball ins Tor.

Bienen sammeln Nektar summen.

Das laufen Badewasser ist warm.

Die Katze fängt Tatze eine Maus.

Eine Biene hat gelbe Streifen die.

Ein kleiner Fisch schwimmt im Meer.

Er schillert blau und hat viele gelbe Punkte.

Der kleine Fisch heißt Simon.

Simon schwimmt ganz alleine im Meer.

Simon hätte gerne eine Fischfreundin.

Da sieht er einen anderen kleinen Fisch.

Der Fisch schillert gelb und hat viele blaue Punkte.

Simon fragt den Fisch nach seinem Namen.

Der andere Fisch heißt Simone.

Jetzt hat Simon eine Freundin.

Male Simone und Simon.

Eine kleine Fliege schwimmt ganz alleine im Meer.	☐ ja ☐ nein
Kleine Fische schwimmen immer nur in kleinen Seen.	☐ ja ☐ nein
Simon schillert blau und hat viele gelbe Streifen.	☐ ja ☐ nein
Simons Punkte haben die gleiche Farbe wie Zitronen.	☐ ja ☐ nein
Simon trifft einen anderen kleinen Fisch im Meer.	☐ ja ☐ nein
Der andere Fisch schillert gelb und hat viele blaue Pullover.	☐ ja ☐ nein
Der andere Fisch hat viele blaue Punkte und schillert gelb.	☐ ja ☐ nein
Simon hat Angst vor dem anderen kleinen Fisch.	☐ ja ☐ nein
Simon und Simone reden miteinander.	☐ ja ☐ nein
Simon und Simone mögen sich gerne.	☐ ja ☐ nein

1	Sie schützen den Kopf vor der Kälte. Diese hier hat einen Bommel.
2	Sie sind oft aus Leder. Sie haben Löcher und eine Schnalle.
3	Er wird um den Hals getragen. Dieser hier hat Fransen.
4	Jeder von ihnen hat fünf Finger. Sie halten die Hände warm.
5	Sie werden unter der Kleidung getragen. Man sollte sie öfter wechseln.
6	Sie sind häufig aus dicker Wolle. Sie halten den Oberkörper warm.
7	Sie haben oft Taschen und einen Reißverschluss. Sie haben zwei Beine.

In der Pflaume blau ist ein Wurm.

Auf dem Tisch die steht eine Vase.

Giraffen haben lange hoch Hälse.

Der Teppich ist Flecken schmutzig.

Fahrräder haben einen der Sattel.

Junge Sattel Pferde heißen Fohlen.

Ameisen leben im Wald krabbeln.

„Kannst die du diesen Satz lesen?"

Auf dem Hof spielen unter Kinder.

Auf Kamera dem Foto ist ein Hund.

Faden Die Spinne spinnt ein Netz.

Ponys stehen auf der reiten Weide.

Eisen Am Magnet hängt ein Nagel.

Supermarkt Mama geht einkaufen.

Der Dezember hat Winter 31 Tage.

Ein Labyrinth hat viele Gänge irren.

Walter Winzig ist der König vom Winzigland.

Im Winzigland ist alles sehr, sehr klein.

Häuser sind so klein wie Melonen.

Melonen sind so klein wie Jo-Jos.

Jo-Jos sind so klein wie Zähne an einer Schnur

und Zähne kann man nur mit einer Lupe erkennen.

König Walter Winzig hat auch eine Königin.

Die Königin heißt Nora Noch-Kleiner.

Sie ist die kleinste Frau im ganzen Königreich.

Der König schenkt ihr jeden Tag *13* Blümchen.

Zahn
(winzig)

Male König Walter und Königin Nora.

Walter Winzig ist der König vom Witzigland.	☐ ja	☐ nein
Im Winzigland leben nur riesige Dackel und Dinosaurier.	☐ ja	☐ nein
Im Winzigland sind Menschen und Gegenstände sehr klein.	☐ ja	☐ nein
Im Winzigland leben die Menschen in winzigen Melonen.	☐ ja	☐ nein
Der König vom Winzigland hat eine besonders große Frau.	☐ ja	☐ nein
Die Frau von König Walter ist die Königin vom Winzigland.	☐ ja	☐ nein
Walter Winzig ist die Königin vom Winzigland.	☐ ja	☐ nein
Königin Nora ist die kleinste Frau im ganzen Königreich.	☐ ja	☐ nein
König Walter beschenkt seine Frau nur einmal im Jahr.	☐ ja	☐ nein
Nora bekommt jeden Tag mehr als 10 Blümchen vom König.	☐ ja	☐ nein

1	Im Winter halten sie einen Winterschlaf. Ihre Stacheln schützen sie.
2	Sie sind sehr klug. Sie leben im Meer und können schnell schwimmen.
3	Sie sind Wildkatzen. Die Männchen haben eine lange Mähne.
4	Sie sind Schwimmvögel. Sie paddeln mit den Füßen im Wasser.
5	Ihr Fell ist schwarz und weich. Sie graben lange Gänge unter der Erde.
6	Sie können sehr gut hören und sehen. Ihr Schnabel ist krumm.
7	Es gibt Männchen, Arbeiterinnen und Königinnen. Sie sind Insekten.

Im Zoo hat ein Affe geworfen sieben Bananen gegessen.

Pizza Opa kocht in der Küche eine leckere Erbsensuppe.

In einer Klasse stehen Turnhalle viele Tische und Stühle.

Manchmal bohren muss der Zahnarzt einen Zahn ziehen.

Im Frühling bekommen die Bäume neue Blätter wachsen.

Mit einer die Schere kann man keine Steine zerschneiden.

Die Schaukel sitzen im Garten hängt an einem dicken Ast.

Viele Kinder spielen Fußball laufen in einem Fußballverein.

Nach der Geburt haben Babys noch keine Zähne.

Kleinkindern wachsen später *20* Milchzähne.

Während der Schulzeit fallen sie alle wieder aus.

Dafür wachsen *32* neue Zähne.

Man nennt sie das zweite Gebiss.

Alle Zähne haben Wurzeln.

Die Wurzeln stecken fest im Kiefer.

In den Zähnen verlaufen Nerven und Blutgefäße.

Der sichtbare Teil der Zähne ist sehr empfindlich.

Dieser Teil wird vom Zahnschmelz geschützt.

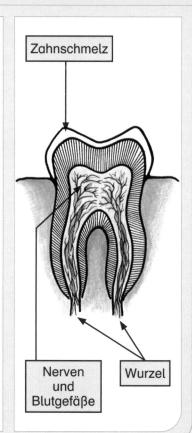

Zahnschmelz

Nerven und Blutgefäße

Wurzel

Babys haben schon bei der Geburt *20* Milchzähne.	☐ ja ☐ nein
Milchzähne werden aus Milch oder Kakao hergestellt.	☐ ja ☐ nein
Kleinkinder bekommen mit der Zeit *20* Milchzähne.	☐ ja ☐ nein
Das zweite Gebiss besteht aus *32* Zähnen.	☐ ja ☐ nein
Nur Zähne mit großen Löchern haben Wurzeln.	☐ ja ☐ nein
Die Zahnwurzeln stecken fest im Kiefer.	☐ ja ☐ nein
In den Zähnen sind Blutgefäße und Nerven.	☐ ja ☐ nein
Der Zahnschmelz besteht aus Blutgefäßen und Nerven.	☐ ja ☐ nein
Der Zahnschmelz schmeckt wie geschmolzener Käse.	☐ ja ☐ nein
Der Zahnschmelz schützt unsere Zähne.	☐ ja ☐ nein

Der kleine Kreis ist rechts neben dem großen Quadrat.	☐ ja ☐ nein
Der kleine Stern ist ganz links.	☐ ja ☐ nein
Die beiden Dreiecke sind direkt nebeneinander.	☐ ja ☐ nein
Zwischen dem großen Pfeil und dem kleinen Kreis ist ein Stern.	☐ ja ☐ nein
Das große Quadrat ist ganz rechts.	☐ ja ☐ nein
Zwischen dem kleinen Stern und dem kleinen Pfeil ist ein Kreis.	☐ ja ☐ nein
Der große Stern ist links neben dem großen Kreis.	☐ ja ☐ nein
Der große Kreis hat mehr Ecken als das kleine Dreieck.	☐ ja ☐ nein

- ☐ Male den Stern neben dem großen Pfeil blau.
- ☐ Schreibe den ersten Buchstaben deines Namens in das große Quadrat.
- ☐ Male dem großen Kreis ein Gesicht, zwei Ohren und grüne Haare.
- ☐ Auf dem kleinen Quadrat steht ein kleines Männchen.
- ☐ Male den kleinen Pfeil mit einem Bleistift aus.
- ☐ Male dem großen Dreieck zwei Arme und zwei Beine.
- ☐ Zeichne unter das kleine Quadrat ein noch kleineres Viereck.
- ☐ Male einen roten Punkt in den großen Stern.
- ☐ Schreibe ein kurzes Wort über den kleinen Pfeil.
- ☐ Male ein blaues Kreuz in das kleine Quadrat.
- ☐ Male mit einem roten Stift ein Gesicht in das große Dreieck.
- ☐ Mache aus dem kleinen Kreis eine Sonne mit Sonnenstrahlen.
- ☐ Der große Pfeil hat gelbe und grüne Streifen.
- ☐ Male das kleine Dreieck in deiner Lieblingsfarbe aus.

Vögelchen

„Vögelchen, Vögelchen,

wo kommst du her?"

„Ich kann es nicht sagen,

ich weiß es nicht mehr."

„Vögelchen, Vögelchen,

wo fliegst du hin?"

„Das kann ich erst sagen,

wenn ich dort bin."

Male das
Vögelchen.

Das Gedicht heißt Vögelchen.	☐ ja	☐ nein
Das Gedicht handelt von einem kleinen Vampir.	☐ ja	☐ nein
Das Vögelchen wird gefragt, woher es gekommen ist.	☐ ja	☐ nein
Das Vögelchen weiß genau, wohin es fliegt.	☐ ja	☐ nein
Das Vögelchen weiß, woher es gekommen ist.	☐ ja	☐ nein
Das Vögelchen hat vergessen, woher es gekommen ist.	☐ ja	☐ nein
Das kleine Vögelchen fährt mit dem Zug nach Spanien.	☐ ja	☐ nein
Alle kleinen Vögelchen können sprechen.	☐ ja	☐ nein
Manche Wörter in diesem Gedicht reimen sich.	☐ ja	☐ nein
Das Vögelchen hat dieses Gedicht selber geschrieben.	☐ ja	☐ nein

Fische leben in Bächen, Flüssen, Seen und Meeren.

Sie bewegen sich mit ihren Flossen vorwärts.

Mit den Flossen halten sie auch das Gleichgewicht.

Fische benötigen wie wir Sauerstoff zum Leben.

Sie atmen jedoch anders als Menschen.

Fische holen sich den Sauerstoff aus dem Wasser.

Dafür brauchen sie ihre Kiemen.

Bei den meisten Fischen legen die Weibchen Eier.

Die Fischeier nennt man Laich.

Aus den Eiern entwickeln sich die Jungfische.

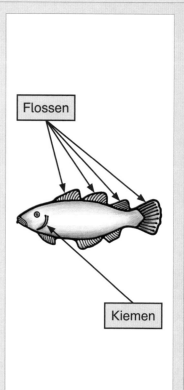

Flossen

Kiemen

Fische leben in Dosen und im Kühlschrank.	☐ ja	☐ nein
Die meisten Fische haben vier kräftige Flügel.	☐ ja	☐ nein
Fische bewegen sich mit ihren Flossen vorwärts.	☐ ja	☐ nein
Auch Fische benötigen Sauerstoff zum Leben.	☐ ja	☐ nein
Fische holen sich den Sauerstoff aus dem Wasser.	☐ ja	☐ nein
Fische atmen Luft durch ihre Flossen.	☐ ja	☐ nein
Fische atmen durch ihre Kiemen.	☐ ja	☐ nein
Die Fischeier werden von den Jungfischen gelegt.	☐ ja	☐ nein
Die Fischeier werden von den Weibchen gelegt.	☐ ja	☐ nein
Die Eier der Fische werden Laich genannt.	☐ ja	☐ nein

Welches Wort ist falsch?

Das Spielzeug aufräumen liegt überall auf dem Boden herum.

Im Sommer Sonnenbrand kann die Sonne sehr heiß scheinen.

Bei einem Gewitter kann Regen es heftig blitzen und donnern.

Kleine Babys Windeln trinken Milch aus der Brust ihrer Mutter.

Riesenschlangen Urwald können bis zu *10* Meter lang werden.

Papa sammelt alte Briefmarken in einem kleben dicken Album.

Der Spieler hat den Torwart Elfmeter über das Tor geschossen.

Steinzeitmenschen haben jagen nicht in Hochhäusern gewohnt.

Der Kaktus auf der Fensterbank gießen hat viele spitze Stacheln.

Eine kleine Maus läuft blitzschnell Mäusefalle über den Waldweg.

Die Tafel Schokolade ist essen in der Hosentasche geschmolzen.

Heute hat die nicht Lehrerin uns keine Hausaufgaben aufgegeben.

Die Lehrerin rechnet eine Zahlen schwierige Aufgabe an der Tafel.

Verschimmelte Lebensmittel ungesund soll man nicht mehr essen.

Heute werden über Brücken meistens aus Beton und Stahl gebaut.

Im Zirkus macht Zirkuszelt der Artist einen Salto auf dem Hochseil.

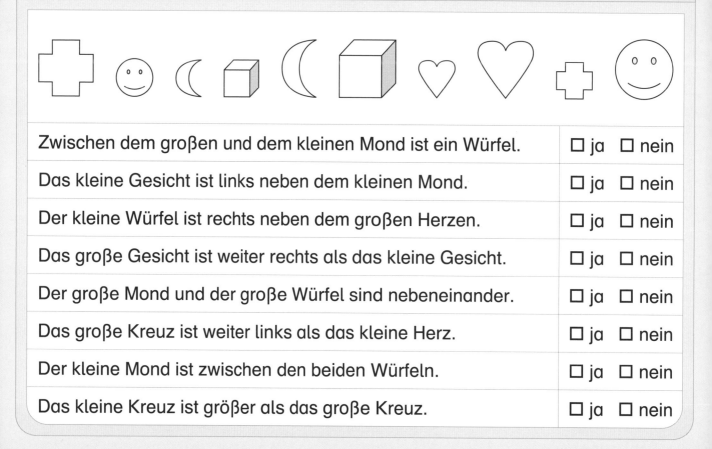

Zwischen dem großen und dem kleinen Mond ist ein Würfel.	☐ ja ☐ nein
Das kleine Gesicht ist links neben dem kleinen Mond.	☐ ja ☐ nein
Der kleine Würfel ist rechts neben dem großen Herzen.	☐ ja ☐ nein
Das große Gesicht ist weiter rechts als das kleine Gesicht.	☐ ja ☐ nein
Der große Mond und der große Würfel sind nebeneinander.	☐ ja ☐ nein
Das große Kreuz ist weiter links als das kleine Herz.	☐ ja ☐ nein
Der kleine Mond ist zwischen den beiden Würfeln.	☐ ja ☐ nein
Das kleine Kreuz ist größer als das große Kreuz.	☐ ja ☐ nein

- ☐ Male dem kleinen Kopf grüne Locken und eine rote Zunge.
- ☐ Male fünf blaue und fünf braune Punkte in das große Kreuz.
- ☐ Schreibe den zweiten Buchstaben deines Vornamens in das große Herz.
- ☐ Male einen langen Regenwurm unter den kleinen Würfel.
- ☐ Male das kleine Herz in deiner Lieblingsfarbe aus.
- ☐ Male ein kleines Boot mit einem grünen Segel in den großen Würfel.
- ☐ Male das kleine Kreuz in der gleichen Farbe aus wie das kleine Herz.
- ☐ Male dem großen Kopf einen Bart, einen blauen Hut und eine Brille.
- ☐ Male sieben grüne Herzen um das kleine Kreuz.
- ☐ Male mit einem Bleistift vier kleine Fliegen über den kleinen Würfel.
- ☐ Male einen kleinen Apfel in den kleinen Würfel.
- ☐ Mache aus dem kleinen Mond einen braunen Kreis.
- ☐ Male neun rote Sterne um das kleine Herz.
- ☐ Male den großen Mond aus. Verwende dafür zwei verschiedene Farben.

Ein Baum stand einst auf einer Wiese,

mit reifen Früchten, ziemlich blau.

Jetzt fragst du dich: „Wie nennt man diese?"

Pflaumen nennt man sie genau.

Aus einer Pflaume, einer süßen,

schaute eine Made raus,

als wolle sie gar jeden grüßen,

aus ihrem schicken Madenhaus.

Doch da kam ein Spatz geflogen,

fraß die Made, ungelogen!

Male die Made in ihrem Madenhaus.

Auf einer Wiese stand ein Baum.	☐ ja ☐ nein
Auf der Wiese stand ein großer Tannenbaum.	☐ ja ☐ nein
An dem Baum hingen viele blaue Pfannen.	☐ ja ☐ nein
Auf der Wiese stand ein Pflaumenbaum.	☐ ja ☐ nein
In einer süßen Pflaume steckte eine kleine Mandel.	☐ ja ☐ nein
In einer süßen Pflaume lebte ein großer Spatz.	☐ ja ☐ nein
In einer kleinen Made steckte eine Pflaume.	☐ ja ☐ nein
Aus einer süßen Pflaume schaute eine Made heraus.	☐ ja ☐ nein
Die Made hat den Spatz gefressen.	☐ ja ☐ nein
Der Spatz hat die Made gefressen.	☐ ja ☐ nein

Brot ist für viele Menschen ein wichtiges Nahrungsmittel.

Um Brot backen zu können, benötigt man Mehl.

Mehl besteht aus gemahlenen Getreidekörnern.

Das Getreide wächst auf den Feldern der Bauern.

Die wichtigsten Getreidesorten für unser Brot sind Weizen und Roggen.

Auch Dinkel, Hafer, Gerste, Hirse, Mais und Reis sind Getreidearten.

Für einen Brotteig benötigt man neben Mehl vor allem Wasser.

Auch Salz und Hefe oder Sauerteig werden sehr häufig verwendet.

Die Hefe oder der Sauerteig machen das Brot locker und luftig.

Ein Fladenbrot kann man auch ohne Hefe oder Sauerteig backen.

Nur sehr wenige Menschen essen Brot.	☐ ja ☐ nein
Die einzige Zutat für einen Brotteig ist Milch.	☐ ja ☐ nein
Die wichtigste Zutat für einen Brotteig ist Mehl.	☐ ja ☐ nein
Getreidekörner können zu Mehl gemahlen werden.	☐ ja ☐ nein
Weizen und Roggen sind die einzigen Getreidesorten.	☐ ja ☐ nein
Ein Brotteig enthält sehr oft Weizen- oder Roggenmehl.	☐ ja ☐ nein
Brote können nur im Wasser gebacken werden.	☐ ja ☐ nein
Wasser und Salz sind wichtige Zutaten für einen Brotteig.	☐ ja ☐ nein
Die Hefe oder der Sauerteig machen das Brot süß.	☐ ja ☐ nein
Man kann Brot ohne Hefe oder Sauerteig backen.	☐ ja ☐ nein

Ein großer Blauwal ist ungefähr wiegen so schwer wie *25* Elefanten.

Manchmal kann Farben man am Himmel einen Regenbogen sehen.

Mama zieht Bilder einen alten Nagel mit einer Zange aus der Wand.

In dem Früchte großen Korb liegen viele Äpfel, Birnen und Bananen.

Viele Vögel fliegen bauen im Frühling ein Nest für ihren Nachwuchs.

Die Menschen sind schon Planeten mit Raketen zum Mond geflogen.

Die Kinder spielen auf Fußball dem Schulhof Fangen und Verstecken.

Opi hat heute ein riesiges Stück Kuchen backen mit Sahne gegessen.